SPMG

HEINEMANN MATHEMATICS 1

Name

WORKBOOK 7
Addition to 10

Revised

Totals to 7

At the pool

6 + 1 = 7

Apple trees

7 + 1 = 8

Apples

4 + 3 =

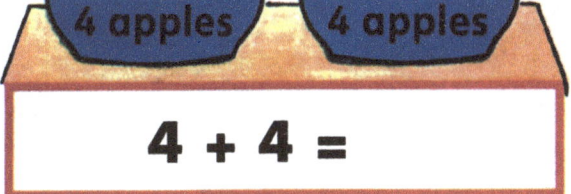
4 + 4 =

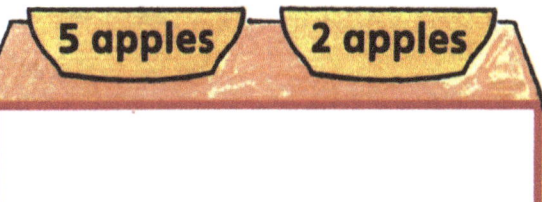

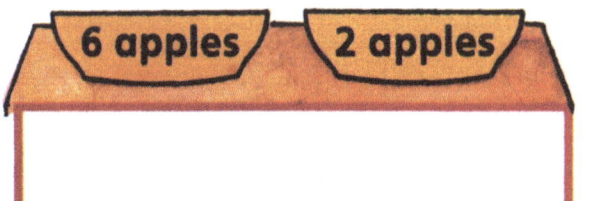

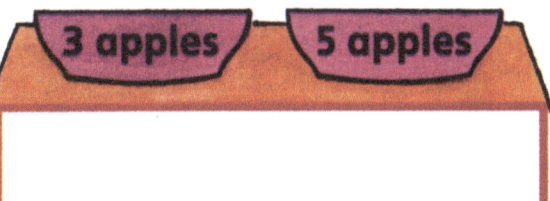

Addition with 0

Ant hills

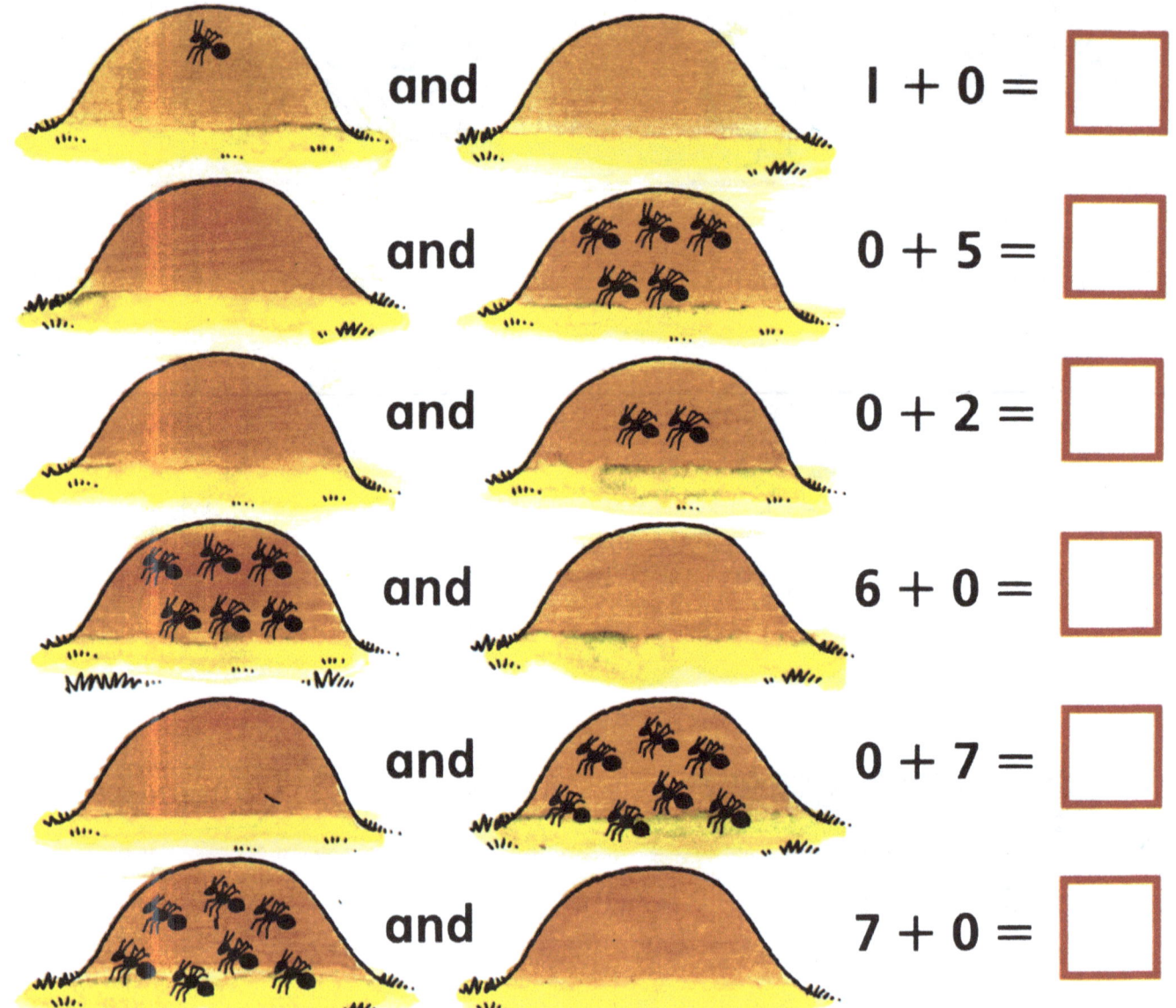

0 + 6 = ☐   8 + 0 = ☐   3 + 0 = ☐

5 + 0 = ☐   0 + 8 = ☐

1 + 7 = ☐   4 + 0 = ☐

Peas

Doubles and twin facts

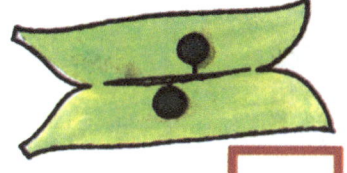
1 + 1 = ☐

2 + 2 = ☐

3 + 3 = ☐

4 + 4 = ☐

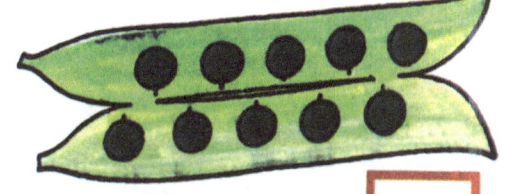
5 + 5 = ☐

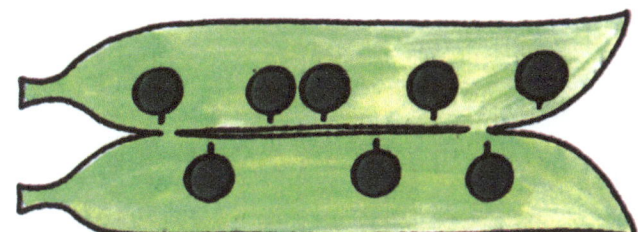
5 + 3 = ☐
3 + 5 = ☐

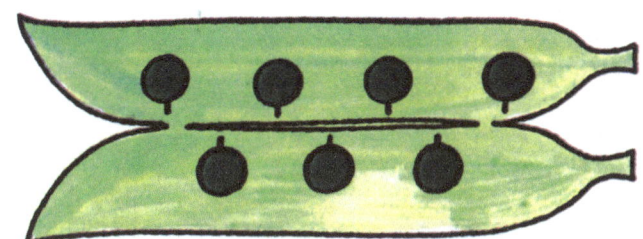
4 + 3 = ☐
3 + 4 = ☐

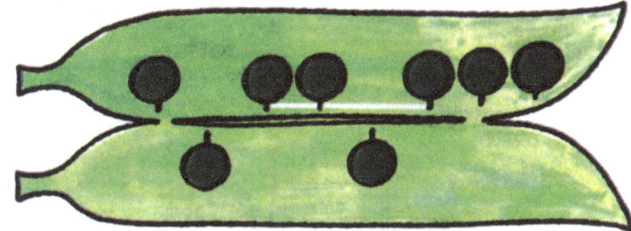
6 + 2 = ☐
2 + 6 = ☐

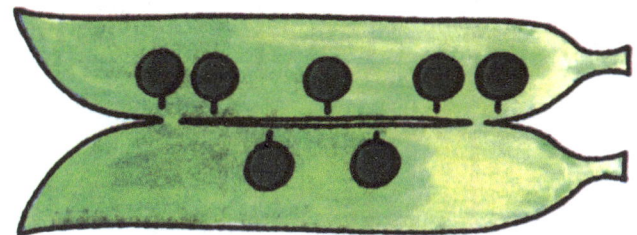
5 + 2 = ☐
2 + 5 = ☐

Nine coconuts

8 + 1 = 9

☐ + ☐ = 9

Use counters.

☐ + ☐ = 9   ☐ + ☐ = 9

☐ + ☐ = 9   ☐ + ☐ = 9

☐ + ☐ = 9   ☐ + ☐ = 9

☐ + ☐ = 9   ☐ + ☐ = 9

Addition to 10

Add the spots.

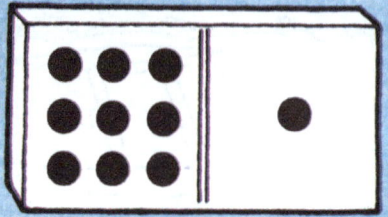  

9 + 1 = 10   8 + 2 =

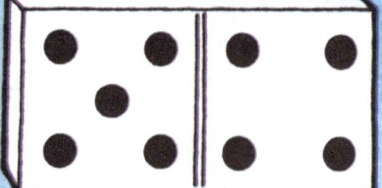  

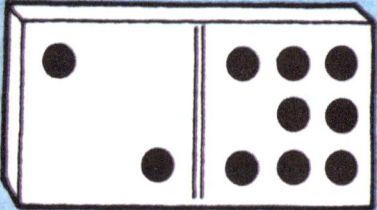  

Some ▢▢ add to 10. Colour them ▣▣.

Addition to 10

Add

Some ▭ add to 10.   Colour them ▭.

7 + 3	3 + 5	9 + 1	1 + 8
5 + 4	6 + 4	2 + 5	5 + 5
1 + 9	4 + 4	3 + 7	2 + 6
5 + 2	2 + 8	4 + 3	8 + 2

Find my name.

Colour 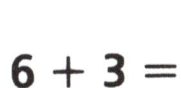 if it adds to 10.

	1 + 9 =	3 + 6 =	5 + 4 =
6 + 3 =			
2 + 7 =		7 + 3 =	
		6 + 2 =	
2 + 8 =	5 + 5 =		4 + 6 =

Money to 10p

11

Plants

Make each 2p more.

6p   4p̶   6p̶   7p   5p   8p

Make each 3p more.

3p   6p   6p   5p   7p   4p

R 14,15

Tickets

- 3p
- 4p
- 5p
- 6p

Buy → **Altogether**

RAFFLE and raffle → ☐ p

raffle and Raffle → ☐ p

raffle and raffle → ☐ p

Raffle and Raffle → ☐ p

Find the lucky numbers.

1 more than 7 → 8

2 more than 5 → ☐

4 more than 4 → ☐

3 more than 7 → ☐

Twin facts for 9 and 10

Clowns

5 + 4 = ☐
4 + 5 = ☐

6 + 3 = ☐
3 + 6 = ☐

7 + 2 = ☐
2 + 7 = ☐

6 + 4 = ☐

4 + 6 = ☐

7 + 3 = ☐
3 + 7 = ☐

8 + 2 = ☐
2 + 8 = ☐

8 + 1 = ☐
1 + 8 = ☐

9 + 1 = ☐
1 + 9 = ☐

Addition of three numbers

It's magic

2 + 3 + 1 =

3 + 4 + 2 =

5 + 2 + 2 =

4 + 1 + 3 =

☐ + ☐ + ☐ =

☐ + ☐ + ☐ =

0 + 5 + 5 = ☐

2 + 1 + 6 = ☐

3 + 5 + 0 = ☐

1 + 4 + 5 = ☐

Games